945 Presents | The Dangerous Convenience Store

blackD

Contents

Chapter

24

그만…

할래요.

……

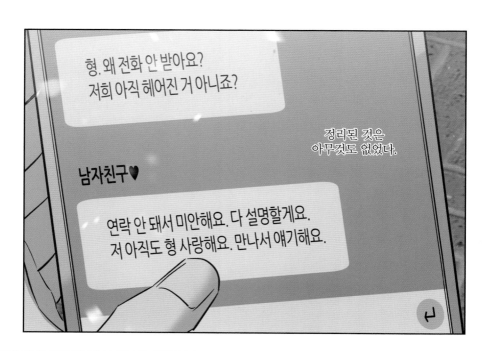

형. 왜 전화 안 받아요?
저희 아직 헤어진 거 아니죠?

정리된 것은
아무것도 없었다.

남자친구♥

연락 안 돼서 미안해요. 다 설명할게요.
저 아직도 형 사랑해요. 만나서 얘기해요.

죄책감이

숨통을 조이는 것만 같았다.

데려다줄게.

……

왜

…아까,

대체 왜…
그러셨어요?

…아니지,

지금 이 상황에서
가장 끔찍한 건…

…저겠죠.

남자친구랑 제대로
헤어지지도 못하고,

아무 사이도 아닌
아저씨가 하는 말에
흥분해버리고….

…한심하게….

…네 잘못
아니야.

화내도 되니까,
타고 가.

9

…제대로 헤어지지
못했다는 게
무슨 말이야.

헤어지자고
일방적으로 통보를 했는데
합의가 되지 않았다면,

아직 헤어지지
못한 거겠죠.

…이렇게 된 거,

…무슨 이유가
있었든,

멈칫..

이 애는 다시
연락을 줬어요.

저는…

절 좋아하는
사람을

꽈악..

…쉽게
포기하고 싶지
않아요.

그러니까,

이제 다시는…

살짝..

너무 깊게
생각하지 마.

…연락 할게.

…아뇨.

하지 마세요.

태워주셔서
감사합니다.

저는 이만
들어가 볼게요.

덜컥...

이제 다시는,

연락하지 마세요.

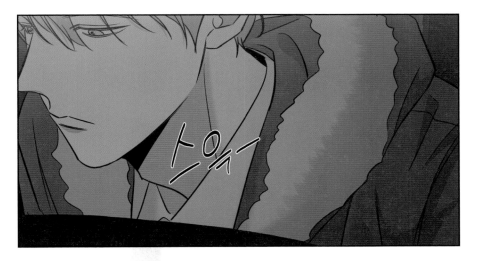

...잠깐.

의준아, 잠깐만.

그게 아냐,
나는…

너를 포기했던 게,
아니라…

빠너끔..

네 옆에 있기 위해
복수를 포기한 대가를
치뤄야 했어.

나한테 남은 건
너 하나야.

쏏어..

그런 비현실적인
변명이 또 있을까.

…지금까지
한 번도 너를…

…포기했던 적
없어.

사실은,
전부 다…

네 옆에
있고 싶어서—

…아저씨.

그냥…

연락 한 통,
주실 수 없었던
거예요?

…….

그, 그만,
하세요….

나를…

무서워요….

기다릴 거라곤
생각 못 했어.

하아…

…의준아.

나는…
여전히 깡패 같은
새끼에,

형편없는
놈이지만

…좋아해.

단 한 번도,

변한 적 없어.

고작
그런 새끼한테
갈 거면,

…나한테 와.

…씨팔,

가지 말라고,

의준아….

탁..

저벅

저벅..

착..

털 써석..

…!

달칵

의준아!

내 동생~
잘 지냈어?

…혀,

혀엉…….

뚝

뚝

어?
뭐, 뭐야?

의준아,
울어?

흐어어엉…

어?

으엉?

왜 그래,
응?

의준아아~

여기야,

여기이~

형 여깄어~!

一!!

25

…형…!!!

의준아!

혀엉…!

의준아~

올라와 줘서 고마워…

내 동생이 전화받자마자 우는데 당연히 와야지!

일단 앉자~

신경 쓰이게 해서 미안해.

형도 내일 출근하는데 서울까지 오게 하고…

아냐, 내가 오고 싶었다니까~

끼익...

그래도….

…형 출근만 아니면 내 자취방에서 자고 가도 됐을 텐데….

에이, 됐어.
이미 버스도 예약해
뒀는걸.

그리고 내가
불쑥 집에 가기엔
좀 그렇잖아.

너, 남자친구도
있고—

…?

…어, 응?

의, 의준아,
왜 그래.

호, 혹시
헤어진 거야…?

의준아…?

네, 네가,

바람…을…

피웠다고…?

우, 우리 의주,
의준이가…

ㄷ, 다 컸네…

바들 바들

잘못인 거
알고 있으니까 억지로
편 안 들어줘도 돼…

…으으음….

아이고…

너답지 않은
일이긴 하다.

무슨 일이
있었던 거야?

……

…무슨 일인데 그래, 괜찮으니까 다 말해봐.

형이 다 들어줄게.

꿈지럭‥

…3년 전에,

정말 좋아하던 사람이 있었어.

하지만 그 사람은 어느날 갑자기 종적을 감췄고,

…나는 그 사이에 형이 아는 그 남자애와 연애를 시작한 거야.

그런데,
3년 전 그 사람이
다시 나타나서
하는 말이…

…포기한 적 없대,
나를.

변함없이…
좋아한대.

이유가
있었을 뿐,

다시 돌아오고
싶었다면서…

…그러면서,

…내가
기다리고 있을 거라는
생각을,

못 했대.

…그게 너무,
미웠어.

내 마음을 멋대로
판단해버린 거잖아.

…나도
정말 많이,

좋아했고,
기다렸는데….

…그리고 여전히,

좋아하는 거고?

…….

좋아…

하지만….

대학을 다닐 때 좋아했던
윤현우가 생각났다.

사귀던 애인이
있었는데,

나를 더 좋아하는 것 같다며
애인과 헤어지고 왔던 그 애.

그때의 나는
단호하게
거절했었는데

지금은 내가 그 애와
다를 게 없는 것 같았다.

…바람을 피운 상대와
잘 된다는 건…

너무
나쁜 짓이잖아.

그러니까…

끊어내야 하는 게
맞는… 거잖아.

……:

내가 의식불명에서
막 깨어났을 때.

의준아,
혹시…

그때, 기억나?

꿈뻑..

…응?

아, 응.
당연히 기억하지….

…나 사실
그때,

엄청 무서웠다?

그때부터는
아무것도
두렵지 않더라.

한 번도
포기한 적 없어!

형이 일어날 날을
엄청 기대하면서
기다렸으니까!

한 번도 포기한 적
없었다고,

정말, 하나도…
안 힘들었어…

힘들었다는 내색조차
하지 않으려는 너를 보면서

이렇게까지
사랑받을 수 있구나,
하고 생각했었어.

그런 내 동생의 곁에 있을 사람은

꼭 그만큼 널 사랑해 줄 수 있는 사람이면 좋겠는데.

참 어렵다, 그치?

…뭐야, 그게 뭐 대단한 거라고.

그냥… 당연한 거잖아.

힘들었다고 내색할 수 있을 리 없다.

혹시라도 형에게 부담을 지우고 싶지 않았으니까.

…어.

그럼 내가…
어떡할까.

나는,
이날만 기다리며
살았는데.

형이랑 의견차가
있긴 했었지만…

네 덕분에 형이랑
내 이해관계가
잘 맞아떨어져서…

위험부담이 있었고,
널 휘말리게 하고 싶진
않았어.

사실은,
전부 다…

네 옆에
있고 싶어서….

내가 형을 위해 말을 아꼈던 것처럼,
감추어둔 말이 있는 거라면.

의준아.

…어?

혹시 아저씨도

…!

형은 바보라서…
뭐가 옳고 그른지,

어떤 선택을 해야
더 나은 사람이
될 수 있는 건지.

잘 모르겠지만,

혹시라도,
네가 원하는 선택이
있다면…

그걸 너무
외면하지 않았으면
좋겠어.

!

나는
내 동생이…

예전처럼
웃을 수 있었으면
좋겠거든.

내가…

원하는 선택.

어라,

형 버스 시간 다 됐다.

의준아.

이제 돌아가자.

…응.

저...

부장님.

으응?

저,
오후 반차…

내도 괜찮을까요?

…뭐?

아, 그, 게,

급하게 말씀드려서 죄송합니다!!

오늘 꼭, 해야 할 일이…

생각나서….

당일 반차라니, 가당치 않다고 생각하시겠지…!

그것도 신입이! 겨우 몇 달 다녔다고…!

그치만,

꾸욱—

한시라도 빨리 끝내고 싶은 일이…

당연히 해줘야지!!

…….

…네?

쭈욱.

발표도 수고했고.

전자로
반차 기입하고

하하

시간 되면
바로 가봐.

…네.

감사합니다.

끼익..

…….

나 너네
회사 앞인데.

혹시 언제
시간 낼 수 있어?

뭐라고요?!
회사 앞!?

쩌렁

쩌렁

쿠
당

탕

으악

쾅

…혀,
형?!

여긴
어, 어떻게 알고
온 거예요?!

갑자기
미안해.

잠깐 괜찮을까?
안 되면 근처에서
기다릴게.

안절

부절

자, 잠깐,
여기 말고
다른 데서…

어~ 신입!

너 최근에
윤희 씨한테 차였다고
소문났더라~

캬캬

캬캬

아주 장미고 뭐고
난리를 피우더니~

사내 연애는
조용히 해야 되는 거
몰라? 으하하!

바람
적당히 쐬고
들어와라잉~

깔깔

꾸벅

…아, 넵!
바로 가겠습니다!

짝..

풍넝벅..

혀, 형,
그게…

아니에요,
그런 게…!

…괜찮아.

나도 피웠거든,
바람.

…네?

헤어지자.

그 말 하려고
온 거야.

…너도 나도,
참 나쁜 놈이네.

그러니까,

…서로 나쁜 놈들로
끝내자.

우린 진작에
끝났어야 했어.

그럼…

잘 지내.

46

씨발….

씨발!
이 개새끼야!

아무리
그래도 그렇지,
네가 바람을
피워!?

톡..

복잡하고, 힘들기만 할 거라
생각했던 일들이

톡..

너무도 쉽게 풀려버린 날이었다.

멈춰..

스윽

펑

펑

…후련하다.

스윽..

……

아저씨한테…

엄청
화내고 싶어.

전해야 하는
말들이 있었다.

아저씨는 최선이라
생각했을지 몰라도,

나에게는
많은 상처가
되었다고.

서로 이야기를
나눠봤다면,

더 좋은 방법이
있었을지도 모른다고.

그러니까,

더 이상 내게
아무것도 숨기지 말라고.

전부 쏟아내고 싶었다.

하아.

ㅅ/ㅇ/ㅊ

좋아 일단,
회사 앞에서
전화를 해보…

…어.

......

악아 ..

아저씨.

……

편의점…
잠깐 들르신 거예요?

저벅..

…아니.

기다리고
있었어.

Chapter

25

……

아저씨의
기다렸다는 말이

오늘 하루,
잠시 잠깐.

그렇게 느껴지지
않았던 건 왜일까.

연락…하지
말라고 했는데.

왜…
기다리셨어요.

엊그제는
미안.

…네?

애새끼처럼
굴어서,

…미안하다고.

…안 된다고
생각하면서도,

막상 너를 보면
자제가 안 돼.

나는….

이리 오세요.

스윽

자, 잠깐.

그런 얘기는…

꼬옥…

…응.

저는
아저씨한테

화내고 싶어서…
온 거예요.

…그래.

…제가
무슨 말을 할지,
알고 계세요?

…너를 멋대로
판단했던 데다,

사라졌다는 이유도
별거 없었으니,

아마…

…….

네가
무슨 말을 하든,

포기 같은 건
못 해줘.
그러니까…

어젯밤에요,

형이랑···
이야기를 했어요.

병실에 누워 있던
형의 의식이 돌아왔을 때
이야기였는데,

사실은 힘들었고,
외로웠다고.

형 말로는···
제가 힘들었다는
내색조차 하지 않으려고
했었는대요.

생각해보면···

그렇게
투정 부리고 싶었는데···
말을 못 했던 것 같아요.

…소중한 사람이
나에게,

미안해하지 않기를
바랐으니까.

…….

그런
이야기를 하면서,
이상하게…

아저씨
생각이 났어요.

…아저씨.

…혹시
아저씨도,

저한테 말하지 못한
사실들이…

있어요?

63

그건…

있냐고 물었어요,
저는

…….

응.

모든 이야기를 듣기 위해 달려왔다.

그중에는 혹시,
저를 위해서…

하지 못한
말도 있어요?

…….

그렇다 하더라도,
내가 한 선택이야.

분명히,

…….

그래서,

말
안 해주실 거예요?

모든 것을 알 권리가 있다고 생각했다.

그랬는데.

…미안.

쭈욱..

팍..

…그러면,

…말하지 않아도,

…괜찮아요.

…아저씨가
정말 밉지만,

……뭐?

저는요,

혹시나 저 때문에
겪은 일이 있다면
외면하고 싶지 않아요.

그리고…

…너무,

아저씨를 거절하고,
다른 사람을 만나고
싶지도 않아요.

왜냐면.

그냥 제가…

아저씨를,

좋아하니까….

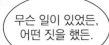

무슨 일이 있었든,
어떤 짓을 했든.

…좋아해요.

그냥, 다 괜찮다고,
용서해주겠다고…

그렇게
매달리고 싶어져요.

내가 자존심도 없는
사람처럼 느껴져서
너무 싫은데,

그런데도,

뚝.

뚝.

정말 많이.

…….

의준아.

ㅅ윽..

나는…

ㅅ윽..

평범하게
살아온 놈은 못 돼.

내가
살아온 날들에
대해서는

누구보다도 내가
가장 질색했는데,

…그걸 너한테
이해받는 건

더더욱
싫었어.

…미안해,

도망쳐서.

그리고…

좋아해.

어떻게
표현해야 될지
모르겠지만,

나는….

…아저씨.

그 말이
진심이라면,

저랑…

연애, 해요.

제발 나랑,

연애 좀 해요….

…응.

왜 울어,
울지 마.

흐어어어엉….

저도 울기 싫어요….
내 나이가 몇인데….

얼씨구.

회사는 중간에
나온 건가?

…아뇨,
오늘 처음으로
반차 써봤어요.

전남친이랑 빨리
얼굴 보고 정리하려면
이 방법밖에 없는 것
같아서…

겨우 이런 거에
써버려서 아깝긴
하지만요.

문질

문질

아깝긴.

그럼 여기
더 볼 일은 없겠네.

아, …네.
그럴네요.

데려다줄게.

가자.

아저씨는 운전을 하면서도
계속 내 손을 잡고 있었다.

빨간 불이 될 때마다
내 쪽으로 시선을 돌렸고,

사내새끼 손이
뭐가 이렇게 하얘.

만지작

만지작

운전할 땐
집중하서야죠.

뭔,
잠깐 보겠다는데.

…헤헤.

비록

빠앙-

씨팔,
뒤지고 싶나….

좋지 않은 면모도
보였던 것 같지만

꼬옥..

이상하게도 전부,
나쁘지 않았던 것 같다.

…설마 이게
콩깍지라는 건가…?

탁..

쪽...

쪽...

쪽...

하아….

…뭐예요,
들어오자마자….

…미안.

쪽

으하핫….

왜 웃어.

쪽

쪽

엄청 급하시다
싶어서요.

그동안
어떻게 참으셨대.

…미안해.

아, 미안하라고
한 말 아니에요…!

…….

아저씨,
있잖아요.

그동안
있었던 일이요.

…천천히라도,
말해줄 수 있어요?

보채지 않을 거고,
많이 바라지도
않을게요.

…그냥,
아저씨에 대해서
알고 싶어서 그래요.

…아저씨를 다시는
오해할 일 없게.

…노력해줄 수
있어요?

…….

응.

응…!

흐르렁….

으아….

툭

끼익….

으…
너무 기뻐서,

진정이 안 돼….

84

아저씨가,
노력하겠다고 했어.

이제는 정말
다를 거라고
생각하니까…

주체를
못하겠는데.

역시 아저씨는
침착하구나….

연애 경험이
많았을 테니까,
당연한가….

왜 아무것도…

파들..

끄윽

끄윽

꿈뻑..

....

…아저씨?

왜…,
왜 그러세요?

…설마
또…

어디
안 좋으세요?

씨팔…,

떨려 뒤지겠네….

미안,

…잠깐만.

두근...

두근

두근...

두근...

두근...

두근...

쪽...

꼬옥...

두근...

두근...

두근...

두근

두근

히힛...

두근

두근

응, 괜찮아요….

…왜 웃어, 또.

그냥…

옛날에도
이런 적이
있어서요.

응?

…처음으로
둘이 마음을
확인하고,

같이 저희 집으로
올라갔을 때요.

아저씨랑 그냥
손만 잡고 걸을 뿐인데 설레고,
어지러울 정도로 떨려서…

아저씨는 어떨까,
연애도 많이 해보셨을 테니
역시 익숙하시겠지.

그렇게
생각했었는데,

스윽ㅡ

어…

왜…

끼이익…

왜…
그러세요?

…내가 널
얼마만큼
좋아하는지,

네가 아무리
추측한다 해도.

나는 언제나
그 이상으로
널 생각해.

……

혹시나 또
못 믿을 순간이
온다면

쪽...

너는 언제든
나를 시험해도 돼.

…무겁게 들어,
여의준.

처음은 염치가 없어서
달라고도 못 하지만.

…네 마지막은
나로 해.

연인의 사랑 고백이 너무 무거우면,
부담을 느낀다고도 하던데.

왜인지 나는

그저 후련하기만 했다.

…네!

쿰뻑..

......

ㅃ반..

푸힛….

…뭘 자꾸 웃어.

좋으니까 웃죠.
헤헤.

......

헤헤

헤히

쪽

으하핫,

……

끔뻑뻑

…네?

끼익…

그게 무슨…

콱

어!?

파악

어, 아,

아저씨…?

그래, 아저씨 여기 있잖아.

가만히 있어.

내가 다 해줄게.

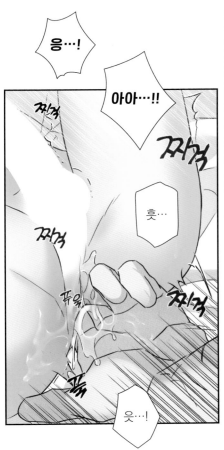

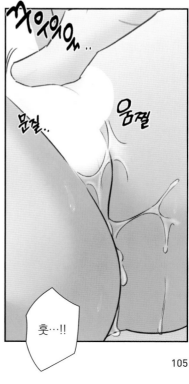

이거…

……

제 애인 거,

여기…

넣어주세요….

Chapter

26

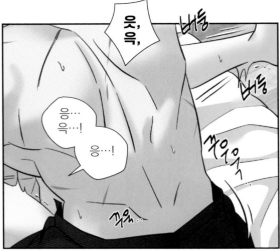

112

…네?
아, 아저씨…?

…어.

응…!!!

116

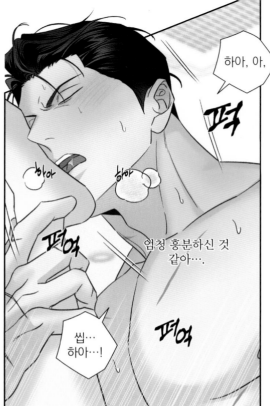

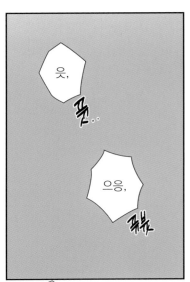

…또 하시려고요…?

바, 방금 사정하셨잖아요…?

겨우 한 번 가지고.

……!?

…나, 나이도 있으신데 어떻게….

씨팔, 이럴 때만 늙은이 취급을 하시네.

…아, 알았어요, 알았어요….

그럼 저, 잠깐 물 좀…

…아 맞다.

이것도… 풀어주실래요?

…아아,

그거…

직접 풀어봐.

…네?

끼이…

……

으응…

설마….

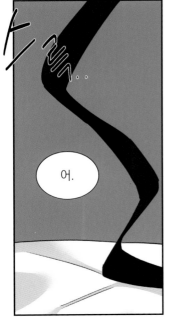

스르륵…

어.

툭…

이, 이거 왜, 왜 이렇게 쉽게… 풀려요?!

모르지. 어지간히 풀기 싫으셨나 봐.

아, 아니에요…!!!

변태.

아냐…!

정말, 아닌데….

가만있어. 물 가져다줄게.

네, 네에….

응..

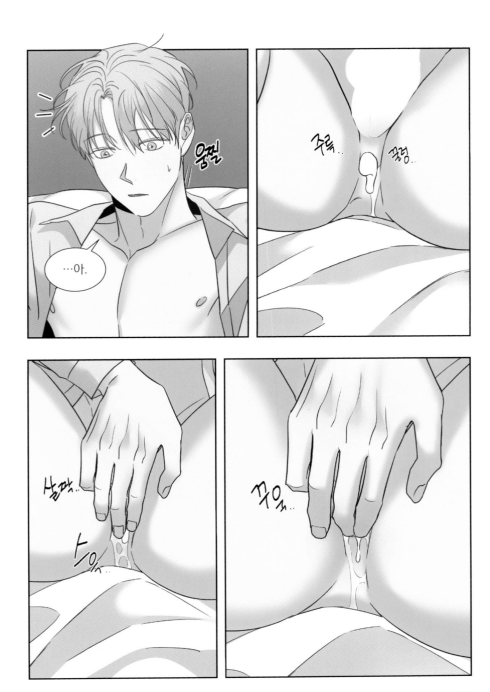

?

쨍컬..

왜 그래.

깜짝

아파?

아, 아뇨.
아무것도 아니에요.

지랄,
아무것도 아니긴.

부었니?
아프면 안 할 테니까
말해.

끼익..

아, 아니에요.
해요! 할 수 있어요!

진짜 아무것도
아니라니까요…!

125

…하지 마,
출근.

푸핫…
그게 뭐예요.

!

저희
이제 언제든…

할 수
있잖아요.

…….

저
씻고 싶어요….

…알았어.

으아아….

엄청 좁다….

욕조가 그렇게 좁다고
생각하진 않았었는데,
역시 불편하시겠네.

저…

깜짝이야….

…연애하면 해보고 싶었던 거였는데 생각만큼 편한 건 아니네요.

괜히 하자고 했나 봐요.

……

다음엔 내 집에서 해.

!

여기보단 넓으니까…

가,

가도 돼요?

원래 지방 쪽에 있다가, 이번에 아예 올라왔어.

그랬구나….

…못 올 게 뭐 있어.

왜, 왠지 상상도 못했어요.

3년 전에는 저희, 옆집에 살기도 했고….

아….

놀러 갈래요…!! 어떻게 생겼어요?

뭘 어떻게 생겨, 그냥 집이지.

대충이라도요! 상상해볼래요…!

…….

뭐….

…다른 사람 머리 말려준 적 없으세요?

쓰담..

물어보지 마.

…왜요?

거짓말하기 싫으니까.

……

…그,

렇구나….

……

여의ㅈ…

…그럼 누가
아저씨 머리 말려준 적
있어요?

…아니.
그딴 걸 왜 시켜.

왹!

그럼 제가
해 드릴래요!

뭐…

끼야…

앉으세요!

…….

나 참….

끼야…

가만히 계세…

…아.

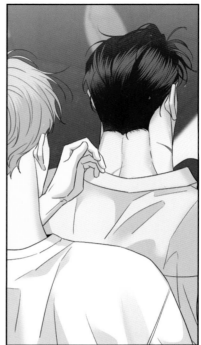

……

그러고 보니…

여기…

느음‥

처음부터
엄청 눈에 띄었던 것
같아요.

……

…많이 아팠겠다.

여기 떡하니 상처가 있으니까…

평범한 사람은 아니려니, 했거든요.

다시는… 이런 거 안 생겼으면 좋겠어요.

보채지 않을 거고, 많이 바라지도 않을게요.

…그냥, 아저씨에 대해서 알고 싶어서 그래요.

아저씨를 다시는 오해할 일 없게.

…노력해줄 수 있어요?

스릌 ..

…그렇게 보이라고 만든 상처였을 거야.

…네?

깡빡..

깡패 일이나 하라고
보이는 곳에
그어버린 거지.

그냥,
멍청했던 거야.

발도 들이지
말았어야 했는데.

…아저씨는,

아저씨가 하는 일을…
싫어하셨어요?

싫어했나…

모르겠네.

깡패짓 할 거
다 해놓고 그런 말
하고 싶진 않아,

X신새끼 마냥.

그 어느 것도
용서받지 못할 삶을 산 나에게

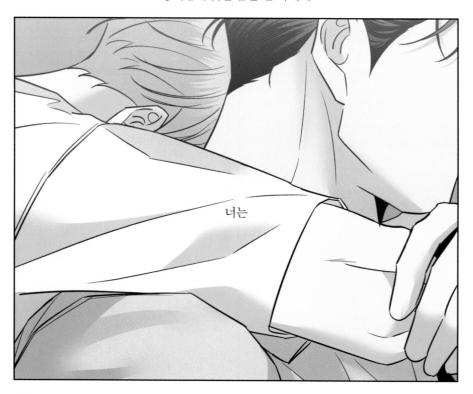

너는

과분한 위로였다.

우리는 잠시 이런저런
이야기를 나누다가,

함께 밥을 먹고,

끼익..

끼익..

응, 응...

끼익..

아웃…

탁..

하아….

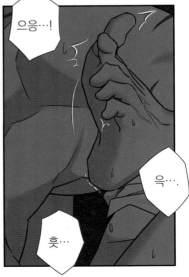

으응…!

윽….

홋…

영화를 보고.

또 함께 바람을
쐬다가,

키스하고.

으음….

좋아….

하아..

그리고 다시 돌아와서
잠에 들 때까지,

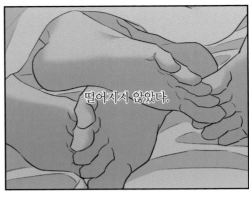

떨어지지 않았다.

아저씨.

응.

저희 내일 저녁에,
데이트할까요?

데이트?

네. 옛날에 아저씨랑
데이트했을 때…
엄청 좋았거든요.

밥도 같이 먹고,
좋은 데도 같이 가고….

아,
바쁘시려나….

바빠봤자지 뭐.

저녁에
데리러 갈게.

꼬옥

네!

자 오늘부터~

엄청 바빠질 테니까 다들 힘내자고!

네에~

일단 당장 오늘부터 다들 저녁시간 비워 놔.

의준이랑 유 주임은 나랑 갈 데가 있으니까 그렇게 알고 있고.

네 알겠습니다~

…네, 네에…!

오늘부터
바빠진다고?

네….
그래서 오늘 약속
못 지킬 것 같아요,
죄송해요….

냐요

…미안하긴.
어쩔 수 없지.

…이해해주셔서
감사해요.

저 그럼
가볼게요.

멍칫

?

그거 하나
사러 온 거니?

아…, 네!

사실 이 편의점에 오는 것도, 부장님이 콜라 심부름을 시키셔서거든요.

헤 헤

가끔 오면 얼굴은 볼 수 있겠네요.

…그딴 심부름을 시켜?

앗.
아, 그게… 괜찮아요.
저도 바람 쐴 수도 있으니까…

…….

아무튼, 알았고….

데려다줄게.

아니에요.

회사 사람들한테 들키면 곤란할 것 같기도 하구요.

그럼 일 다 끝나면 전화해, 데리러 갈ㄱ

괜찮아요! 언제 끝날지도 모르는 걸요.

집 가면 전화할게요.

그럼
저 얼른 가볼게요!

오늘도
일 힘내세요!!

타다닥..

……

짝아..

그날부터,
나는 정말 바빠졌고

아저씨를 볼 수 있는 건
편의점 근처뿐이었다.

죄송해요.

엊그제 있었던
회식 때문에 너무 피곤해서
연락도 많이 못 하고….

…쟈.

…괜찮아.

그래도
곧 주말이네요.

저희 주말에
데이트해요.

…그땐
집에서 볼까.

나가서
데이트하기로
했잖아요.

x

…할까?

안 돼요…!!!!

며칠째 못했잖아.
마음 같아서는 그냥
여기서라도 박고 싶어.

…무, 무슨 말이에요
그게….

하아….

대신 주말에
데이트 하고, 밤에도
같이 있어요.

네?

…알았어.

헤헤….

쪽 ♡

연락할게요.

…응.

하지만 그런 다짐이
무색하게도

네!

??

금방
가겠습니다!

나는 주말에도
부장님의 연락을 받아
외근을 가게 되었고

커어어

치이잉

치이잉

집에 오면 곯아떨어지느라 아저씨를 괜히 부르지도 못했던 탓에

결국 2주째 아저씨와의 약속을 어기게 되었다.

죄, 죄송해요.

저, 오늘 저녁에도 미팅에 불려가서…

스으으응

…….

…….

죄송흥…

하아, 씨팔….

움찔

흐긋…

씹…,

뭔 일을….

…죄,

죄송해요….

…….

어, 어떡하지…
진짜 화나셨나 봐.

…화, 푸세요….

…뭐?

제가 약속도 어기고…
연락도 잘 못하고…

죄송해요,
엄청 화나시겠죠….

씨팔,
화난 게 아니라!

?

……

…삐진 거야.

꿈뻑

우와~

Chapter

27

그렇게 몇 차례,
아저씨를 달랬고

우리는 다음 주말이 되어서야
겨우 데이트를 할 수 있었다.

아저씨!

죄송해요.
오래 기다리셨죠?

별로.

······.

헤헤.

왜.

왠지 진짜 데이트 같아서요.

안 추우세요?

응.

꼬옥..

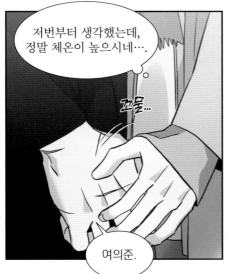

저번부터 생각했는데, 정말 체온이 높으시네….

꼬물...

여의준.

얼른 타.

퍼득

아. 네!!!!

탁...

아, 맞다.

스윽...

레스토랑
위치는…

으음…

츕…

으응…

하아….

으하핫…

뭐예요,
타자마자.

너무
오래 못해서.

그건 그렇네요.

저…

그런데,

키스로…
서신 거예요?

그렇게 됐네.

…괜찮으세요?

죽을 병도
아니고.

…….

꾸욱..

음….

그냥…

꼼질..

아저씨네 집에서…
할까요?

…데이트.

…….

…….

안 그래도 돼.

엄청
고민하신 것
같은데.

어, 음…

예전부터
가보고 싶기도 했고…,
궁금하기도 하고….

재밌을 것 같아서
그래요.

…그래, 그럼.

흘끗…

파핫…

우와…
이게 뭐야…?

진짜 아저씨
집이에요…?

그럼
가짜 집도 있나?

두리번…

아, 아니 그게 아니라…
엄청 크고… 좋네요…?

쓸데없이
큰 거지.

아저씨가
고른 집이 아니에요?

뭐, 밑에 놈들이
골라온 것 중에.

사락..

아…….

172

…구경해도 돼요?

하고 있어.

아저씨는 뭐 하시게요?

점심으로 먹고 싶은 거 있으면 해주게.

!

아니에요.

나중에 먹어도 되니까, 구경시켜 주세요.

구경할 것도 없는데.

얼른요~

아저씨의 집을 구경하면서,

불현듯 깨닫게 된 것들이 있었다.

그 흔한 가족사진,
졸업사진 하나 없는

지나치게 텅 빈 집.

이전에
주변인에 대해
물어봤을 때,

말해봤자
좋을 것도 없어.

별다른 대답을
듣지 못한 것을
생각하면…

…물어보는 건
실례일지도 몰라.

너무 급하게
욕심부리진 말자.

저, 아저씨.

여기 막, 화분 같은 거 하나 두면 어때요?

그럼 좀 더 밝은 느낌이 날 것 같은데…

제가 하나 선물해 드려야 하나?

아, 그리고 저희…

사진 찍어서 여기다가 하나 둘까요?

…찍자고?

싫으세요?

그냥
네 사진이나 둬.

……

그냥 내가 알아서
몰래 찍어야겠다.

으음~

ㅡㅇㄱ

그래도 일단 화분은
괜찮다는 거죠?

그럼 다음에 올 때 선물로 가져와야겠다!

너무 걱정하진 마세요, 잘 안 죽는 거로 골라올게요!

처음 기르는 사람도 잘 키울 수 있는 식물이 있다고 하니까,

아저씨도…

!

K으─‥

그냥.

갑자기, 왜…

네가
여기 있는 게
좋아서.

…아,

…너랑, 여기서.

도, 동거…?

…….

치, 침착하자.

잘 생각해야 해.

아저씨가 아무리 좋다고 해도,

같이 사는 건 차원이 다른…

아저씨랑…,

문제니까…!!

같이 살고 싶어요…!

모르겠다…!!! 아무 생각 안 하고 싶어!

같이 살래요….

…의준아.

네?

미안한데,

어.

…!

너무 오래 참았어.

괜찮아?

…헤헤.

뭐가
그렇게 웃겨.

네, 괜찮아요.
흐흐

웃긴 게 아니라요,
좋아서.

아저씨랑
같이 살 수 있다니…
생각도 못 해봤거든요.

거짓말.

네?

욕실에서 상상했잖아.

!!!!

역시 일부러 그렇게 말한 거죠!?

그럼 내가 아무 생각 없이 꼬실까 봐.

나,

나 참….

…아.

왜.

아깐 너무 좋아서
바로 대답을
해버렸는데…

조금
걱정이 돼요.

뭐가.

사실…

같이 사는 게
쉬운 일은 아니잖아요.

오히려 더
싸울 수도 있고…

…….

그럴 일 없게
내가—

아!!

짜!!
뜨!!

…….

저, 어디서
본 건데요.

짜증 나거나 화날 때
존댓말을 쓰면
서로 기분이 덜 상한대요.

저희
그러기로 할까요?

아니.

꼭
하고 싶은데….

그러면
안심될 것
같은데…

…….

…맘대로 해.

스윽..

!!!

정말요?

하고 싶다며.

진짜죠!?

정말 하기로 한 거예요?

이제 자, 졸리다고 했잖아.

새벽 네 시다.

빨리 대답이요!

미치셨어요?

일요일 이 시간에
어딜 나가셔야
한다고?

분명
존댓말 같은데
왜 무섭지…?

덜덜..

덜덜

부, 부장님이
미팅에 같이 가달라고
하셔서….

그래서요.
거길
가셔야겠다?

저희
조, 존댓말 하기로
한 거 취소해요!!!

무서워!!

하아….

죄송해요….

그치만 전 신입이라
거절할 수도 없고,

어쩌면
도움이 될지도
모르니까요….

…….

거기 그만두고
이쪽으로 와.

멈칫…

…네?

끼익.

철썩

CIK로 이직하라고.

아직 제 능력으로는…
꿈도 못 꿀 정도로요.

뒤 구린
회사였을 순 있겠지만
앞으로는 그럴 일도 없고,

표면상으로는
나쁘지 않은 회사잖아.

…정말 좋은 데죠.

아저씨.
저요,

사실은…

이 회사도
누군가의 소개를 받아서
겨우 들어갈 수 있던
곳이었어요.

지금 있는 곳도
제 실력으로 된 게
아니어서 그런가…

스윽..

제 힘으로
무언가를 이뤄내지 않으면
저한테 많이
실망할 것 같아요.

신입의 바보 같은 객기일 수도 있겠지만,

…이 자리에서 최선은 다해보고 싶어요.

…바보 같은 건 아네.

헤헤.

열심히 해서…

아저씨네 회사에 도전해볼게요.

…마음대로 해.

삐지지 마시구요.

하아….

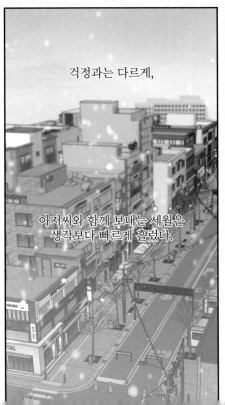

걱정과는 다르게,

아저씨와 함께 보내는 세월은
생각보다 빠르게 흘렀다.

아저씨에게 약속한 것처럼 나는
내 자리에서 최선을 다하는 시간을,

그리고 아저씨는…

1년 뒤.

아저씨~!
준비 안 됐어요?

술이 아직 안 깼나?
머리 아파요?

으음….

그러니까 제가 더
잘 마신다니까요.

잘나셨어
아주….

그럼 저 먼저
출근할게요.

김 실장 불러서
차 타고 가.

아니야,
괜찮아요.

프하하,
안 그래.

오히려…

가면 갈수록
귀여워진다고
해야 하나….

야, 심하다.
단단히 빠졌구나.

의준아…

의준아아…

찰딱..

의준아…

정말인데…

아무튼, 그럼
다음 주에 보자!

알았어.

…….

결혼이라….

지향성을 깨닫고 난 뒤로,
자연히 포기하게 된 것들이 있다.

포기해서
아쉽다기보다는

당연하게 포기했기에
아쉽지도 않은 것들.

사람이 많은 거리에서
손을 잡고 걷는
연인의 데이트라든가,

여러 사람들에게
거리낌 없이
연인을 소개한다든가.

결혼도 그중 하나였다.

딸각..

딸깍..

사욱

......

으음….

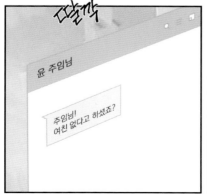

딸깍

윤 주임님

주임님!
여친 없다고 하셨죠?

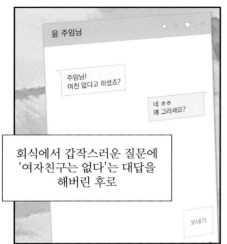

윤 주임님

주임님!
여친 없다고 하셨죠?

네 ㅎㅎ
왜 그러세요?

회식에서 갑작스러운 질문에
'여자친구는 없다'는 대답을
해버린 후로

보내기

제 친구 사진인데요, 어때요? 이쁘죠?
혹시 괜찮으시면
제가 소개시켜 드릴까 해서….

아….

애인이 없다는 오해를
받고 있었다.

타닥

아 ㅠㅠ
아직은 누굴 만날 생각이 없어서요.
신경 써주셨는데 죄송해요.

타닥

정말요~? 아쉽다~~

여기저기서 소개가
많이 들어오네….

하긴,
지금쯤은 연애해서
결혼을 생각할
나이긴 하지….

203

…….

끼악‥

그리고 보니…

아저씨는 이전에…

흐으…

평범하게
여자친구를 사귀셨다고
했지.

…혹시

아쉽진
않으실까.

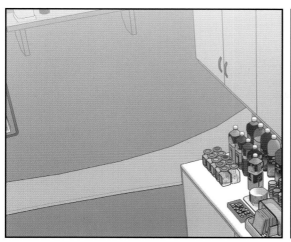

나도 하나 타주지.

자꾸 내려오시면
직원들이 불편해해요,
이사님.

그럼 네가 자주
올라오시던가.

나 참….
왜 오셨어요?

사락

잠깐 얼굴 보러.

술은 다 깨셨구요?
머리는 안 아프세요?

…아프다고 하면
더 걱정해 주나?

……

프핫….

멀쩡하신 것
같은데요?

…….

무슨 일 있니?

네?

기분이
안 좋아 보이는데.

주임님~!

아까 그 소개해 드리려던 여자애 있잖아요~

?

아, 안녕하세요. 이사님!!!

끼이이익..

말씀 나누세요! 조금 있다가 말씀드릴게요~~!!

탁.

......

......

저게 씨팔 뭔 소리야.

아,

아니 그게.

성

큼

성

큼

이런 씹, 날 두고 뭘 하신다고?

소개?

진정하세요…! 그게 아니라…!

…질렸니?

꿈뻑ㅡ

네?

나한테 질렸냐고.
여자가 만나고 싶어?

아저씨가 할 고민은
아니잖아요…!!!

이 사람은 왜 자꾸
내가 게이인 걸
잊는 거야?

그게
아니라요~! 여자친구는 없다고
말해버리는 바람에…
직원들이 오해를 하고
있더라구요.

그런데, 제 상황을
설명하기가 곤란해서….

나 참.

그냥 사내새끼랑
사귀고 있다,
말하면 되지.

하
아..

그게 뭐
그리 어렵다고.

사뭇 거친
말뿐이었지만,

시큰...

아저씨가
나를 좋아하는 것은

아쉽지도,
어렵지도 않은 일이라고.

그렇게 말하는 것 같았다.

두리번

…아저씨.

왜.

이걸로
봐주세요.
네?

......

이걸론 안 돼.

Chapter

28

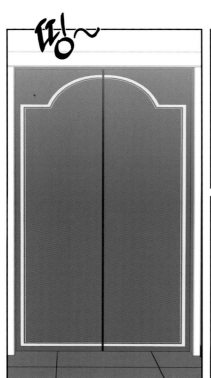

띵~

스륵...

의준 씨
오셨네요.

안녕하세요 실장님!
이사님 안에 계시죠…?

예.
들어가세요.

똑똑

…아저씨!

소근…

저예ㅇ…

벌쩍

쑤욱

으앗

탁…

달칵

아하핫

…왔어?

오라고
하셨으니까요.

응.

밥은.
뭐 시켜줄까.

음…
샌드위치?

쪽..

쪽..

그거로 되니?

충분해요.

저, 젖어요….

자국 나면….

츕….

응.

잘근…

아…!

쮹

응, 으… 아,

아저씨….

아…!

쭉, 쭉

쭉

웃, 아!

자…,

쭈옥

잠깐만요….

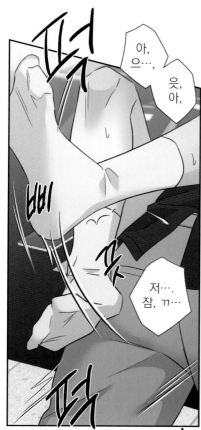

…잡아줘.

꿀꺽

……

꾸욱

하아….

음…

하아…

쪽!

!

……．

찝찝하면 갈아입어. 챙겨놨어.

다리 들어봐

쪽쪽

쪽쪽

푸핫, 정말요?

쪽..

헤헤….

229

응,
더러워질까 봐.

이사님.

?

뭐야.

차 회장님
오셨습니다.

없다고 해.

없으신 것 같…

듣고 있다고
전해주실래요~?

…기다리시겠답니다.

얼굴 빨갛다. 잠깐 바람 좀 쐬고 있어.

네.

물컹.

스윽..

정말,

달칵

끼익—

많이 다정해지셨…

빼

아악!!!

악

아파…!!

야이셰끼야. 씨팔 왜 이렇게 처 불러 대.

씨발! 그냥 한 번에 열었으면 됐잖아요~!

더 맞고 싶다고?

역시 성격이 그냥 변하지는 않는구나….

팍!

악!!

이 새끼 이거, 아직도 다 안 지웠네.

대체 그딴 걸 왜 한 거야?

깡패 새끼라고 광고하냐?

아야..

형은 낭만을 모른다니까.

아파서 천천히 지우는 것뿐이야.

아무튼.

샌드위치를 서비스로
많이 받아서 가져온 건데,
잘했지?

다른 데서
시키려고 했는데.

맛있어요!

그치~?
내 단골집이야.
잘 먹네~

용건 끝났으면
꺼져.

심심해서
온 거야.

심심하면
일을 해.

그게 대체
무슨 말이지?

아~ 이 아저씨랑은
진짜 말을 못 하겠어.

의준아! 오랜만에
우리 셋이 주말에
술이나 할까?

저는…

아니.

…저기,
채현이 형!

응?

저 이번 주 주말에
친형 만나러 가는데,

힝칫

…같이
가실래요?

뭐…?

정말?!

우와~ 의준이랑 진짜 많이 닮으셨네.

반갑습니다. 차채현입니다.

안녕하세요. 여의현입니다.

그런 말 많이 들어요.

둘이 동갑일 거예요. 친구하면 좋겠다…!

이야~ 그럼 저희 말 편하게 할까요?

아, 그럴까요? 저야 좋죠.

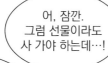

어, 잠깐. 그럼 선물이라도 사 가야 하는데…!

…조금 무섭게 생기셔서… 놀랄지도 몰라.

아니야, 갑작스럽게 초대한 거잖아. 그냥 와도 돼.

뾰득!

그것보다는…

그래도 그렇게 나쁜 사람은 아니니까….

뭐어? 에이, 사람을 어떻게 겉만 보고 판단을 해.

그래~ 그 양반 집 엄청 크니까,

푸하하~!

그럴 일 없어! 괜찮아, 괜찮아.

무슨 일이 일어나도
아―무도 모른다구….

왜 그렇게 음산하게
말하시는 거예요….

시끄럽게 마셔도
괜찮다는 거지요~

그럼 편의점 좀
잠깐 들려도 될까요?

웬만한 술은
집에 있는데
소주가 없거든요.

갑시다~

딸랑~

안녕하세요~
잘 지내셨죠 사장님?

아이고 의준 학생~!
아니다, 이제는 학생이
아니지?

헤헤, 네.
잠깐 술 사려고 들렀어요.

들러줘서 고마워요~

그럼 안녕히 계세요~

잘 가고, 또 와요~

응, 자주 오긴
하는데···

아~ 지방에서
올라왔구나.

날씨
엄청 좋네….

아저씨~
저 왔어요~!

두리번...

크다...

ㅋㅋ

어디 계시지?

왔니?

!

형!

앗!

내… 애, 애인,
범건우 아저…

아니,
범건우 씨…?

아저씨!

…바,

꿀꺽…

반갑습니다.

제가 어, 어떻게
불러야 할까요…?

편히
부르시죠.

편한 게 없으면
어떡하지…?

안주는 일단
의준이가 좋아하는 거로
시켜놨는데.

스윽..

더 필요한 거 있으면
말하세요.

깜빡..

……아,

정말이네….

의준이가
좋아하는 것들뿐이야.

…네.

감사합니다.

저희가 사온 거
꺼내둘게요.

피히..

우리는 꽤 오랜 시간 동안
즐겁게 이야기를 나누었다.

어색할 거라는
예상을 깨고,

오로지 차현이 형이
신난 덕분에 이야기가
이어질 수 있었던 것 같지만,

아저씨도 끝까지
자리를 지켰다.

뻐끔

이놈들
언제 가.

뻐끔

ᅙᅡᅙᅡ

네 사람이 한자리에 마주한 건
오늘이 처음이었지만

왜인지
낯설지 않았다.

아마도 그건

내가 꿈에서도
바라던 날이었기 때문일까.

드르렁…

꾸어ㅇㅇㅇ

스으…

하…
피곤해….

저벅

저벅

이놈들은 왜
남의 집에 와서…

소근..

…아저씨!

그새 치워놨네.
내버려 두라니까.

쑤욱

이리 와보세요!

…뭐 해
거기서.

저벅..

저벅..

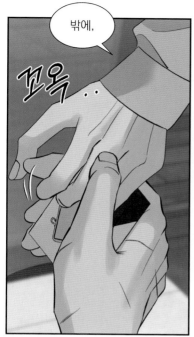

밖에,

꼬옥

별이
보이길래요!

오늘 낮부터
날이 맑더니
그래선가 봐요.

···그러네.

애도 아니고,
안 떨어진다니까요.

아하.
아니셔?

아니죠!!

날씨
진짜 좋죠?

네가 좋다니까
좋겠지.

피워도 돼?

뻐억~

아, 네.
그럼요.

너는.

저는
괜찮아요.

좀 된 거지만요.

되기만 하면
상관없어.

빠아안...

빠

아

안…

덜컥…

……

뭐야.

그거 주인 있는
라이터인데.
모르세요?

?

…모르겠는데.

피힛…

벌써 5년쯤 됐나,
아저씨랑 헤어지기
전에…

주연이랑 태영이랑
같이 노래방 간 적
있었잖아요.

그랬지.

아저씨가
담배 피우러 밖에
나가셨을 때,

두근

라이터를
두고 가셨길래
가져다드리려고
나갔는데…

아저씨가 저를
좋아한다고 하시는 걸
들은 거예요.

두근

…그대로 도망쳤어요.

그때도 두근거리긴 했지만, 조금 놀랐거든요.

그러다가…

돌려드릴 타이밍을 잡지 못해서 계속 가지고 있었어요.

…그리고,

아저씨가 사라지신 후에

눈물이 날 만큼 기쁘게 받았던 꽃다발은 버릴 수 있었는데…

이상하게,
이 라이터는 끝까지
버릴 수가 없더라구요.

…아저씨가
기억할 만할 그런,
의미 있는 물건도 아닌데.

……

툭..

스윽..

아직도 가끔은 아저씨가
돌아오지 않았다면 어땠을까,
하고 생각한다.

까맣게 잊어버리고 있던
라이터처럼, 나 역시
까맣게 잊었다면.

아무리
생각해도,

누구도 기억하지 않는 물건을 간직한 채,

외로이 남은 추억에
일일이 의미를 부여하며,

그렇게 볼품없는 모습으로나마

나는 역시 아저씨가 돌아오기를
기다렸을 것이라고,

확신한다.

…사랑해요,
아저씨.

…아하하,

오늘 엄청
취했나 봐요.

진짜 뜬금없죠?
갑자기…

푸욱..

여의준.

결혼하자.

…네?

어떻게든 할 테니까.

하자, 결혼.

나는

네가 없으면 안 돼.

아저씨와
처음 만났던 편의점을,

함께 걸었던
벚꽃 길을 보고 와서,

꿈에서나 바랐던 모습으로
마무리하는

빠듯할 정도로
행복한 하루였다고 생각했다.

좋아하는 사람들과
기분 좋게 취한 밤이었다.

…그런데도

그것보다 더,
행복할 수 있는 거구나.

만약 당신이
다시 돌아오지 않았다면.

그런 가정 자체가 미안할 정도로
똑바르게 나를 사랑하는 당신이

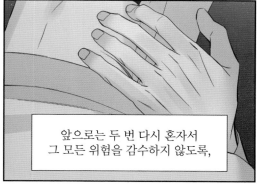

앞으로는 두 번 다시 혼자서
그 모든 위험을 감수하지 않도록,

그렇게

두 번 다시는 외롭지 않도록.

쪽..

스읍..

해요, 꼭.

…응.

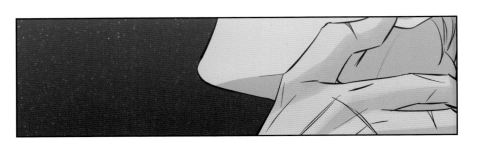

언제까지나 함께.

위험한
편의점

초판 1쇄 인쇄 2023년 12월 1일
초판 1쇄 발행 2023년 12월 20일

글·그림 945
펴낸이 정은선

책임편집 이은지
표지 디자인 URO DESIGN
본문 디자인 (주)디자인프린웍스

펴낸곳 (주)오렌지디
출판등록 제2020-000013호
주소 서울특별시 강남구 선릉로 428
전화 02-6196-0380 **팩스** 02-6499-0323

ISBN 979-11-7095-103-2 07810
       979-11-92674-04-9 (세트)

ⓒ 945

www.oranged.co.kr